KB098425

하
나뿐인 너
랑

저자 박보름
다섯 살 때 자폐성 장애를 진단받은 하랑이와 서귀포에 살고 있다.
올해 일곱 살이 된 하랑이는 다이빙과 잠수를 하며 물놀이하는 걸 좋아하고, 놀이터에 가면 미끄럼틀과 그네를 타는 것을 시간 가는 줄 모르고 즐긴다.
특히 상어와 고래에 대한 남다른 사랑을 가진 하랑이는 분신처럼 피규어들을 들고 다니는데 엄마가 보기엔 몇 마리 없어도 모르겠다 싶지만 한 마리만 없어져도 "귀상어 어디 있지?" "범고래야 어디 있니?" 애타게 부르며 찾아 헤매는 아이다.
모험 정신과 자유로운 영혼의 하랑이는 넘어지는 일이 생겨도 포기하지 않고 다시 도전하며, 근성 또한 누구에게도 뒤지지 않는다.
자기만의 방법으로 세상을 즐기고 배우며 살아가는 하랑이와 함께라면 엄마인 나는 어떤 어려움도 극복할 수 있을 것 같은 용기를 얻는다.

하
나뿐인 너
랑

박보름

차
례

책 / 소 / 개

이 책은 한 엄마가 자신의 아이와 함께한 특별한 이야기를 담고 있습니다. 장애 아이를 키우면서 겪은 현실적인 어려움과 도전을 솔직하게 이야기한다. 그 과정에서 아이와 함께 웃고 울며 어려움을 극복하고 성장하는 모습을 통해 진정한 기쁨과 육아의 의미를 공유합니다.

서문

나는 발달장애가 있는 아이들과 함께 여행을 떠난 적이 있다. 그중 한 아이는 11살이었는데 나는 그 아이를 도와주겠다며 라면을 떠먹여 주었다. 그 모습을 본 주변 선배 엄마들은 '얘 젓가락질할 수 있어'라고 말했고 그 말을 듣고 보니 그 아이가 나보다 더 자연스러운 젓가락질을 할 수 있다는 것을 알게 되었다. 이 경험을 통해 나는 장애가 있는 아이들에 대한 편견을 다시 생각하게 되었고, 그들의 능력을 존중하고 지원하는 것이 중요하다는 것을 깨달았다.

장애 진단을 받고 '힘내' '괜찮아질 거야' '불쌍해서 어떡해' '널 강하게 하려 하랑이를 너에게 보내신 걸 거야' 같은 말들을 너무 많이 들었다. 하지만 그 시절의 나는 이런 위로의 말들도 곱게 듣지 못했을뿐더러 오히려 불안하고 속상해했다. 숨 막히고 좌절하던 순간들이 있었지만, 그 속에서도 하랑이가 차근차근 자기만의 개성과 속도로 성장하는 모습을 보며 희망을 품기 시작했고 하랑이와 함께하는 시간들이 즐거워졌다. '아 나를 키우러 온 아이가 맞는구나. 이 아이의 성장에 나의 이런 모습이 도움이 되겠구나! 그래서 우리가 만났구나. 고맙다'

라는 생각을 하게 되었다.

그래서 나는 여러 이유로 힘들어하는 부모들을 만나게 되면 애써 위로의 말을 전하기보다는 두루마리 휴지 한 통을 가져다준다. 울기도 하고 웃기도 하면서 결국 그들의 방식으로 잘 겪어낼 거기에.

이 에세이를 통해 나와 하랑이의 이야기를 공유하고 희망을 전하고자 한다.

다복이의 탄생

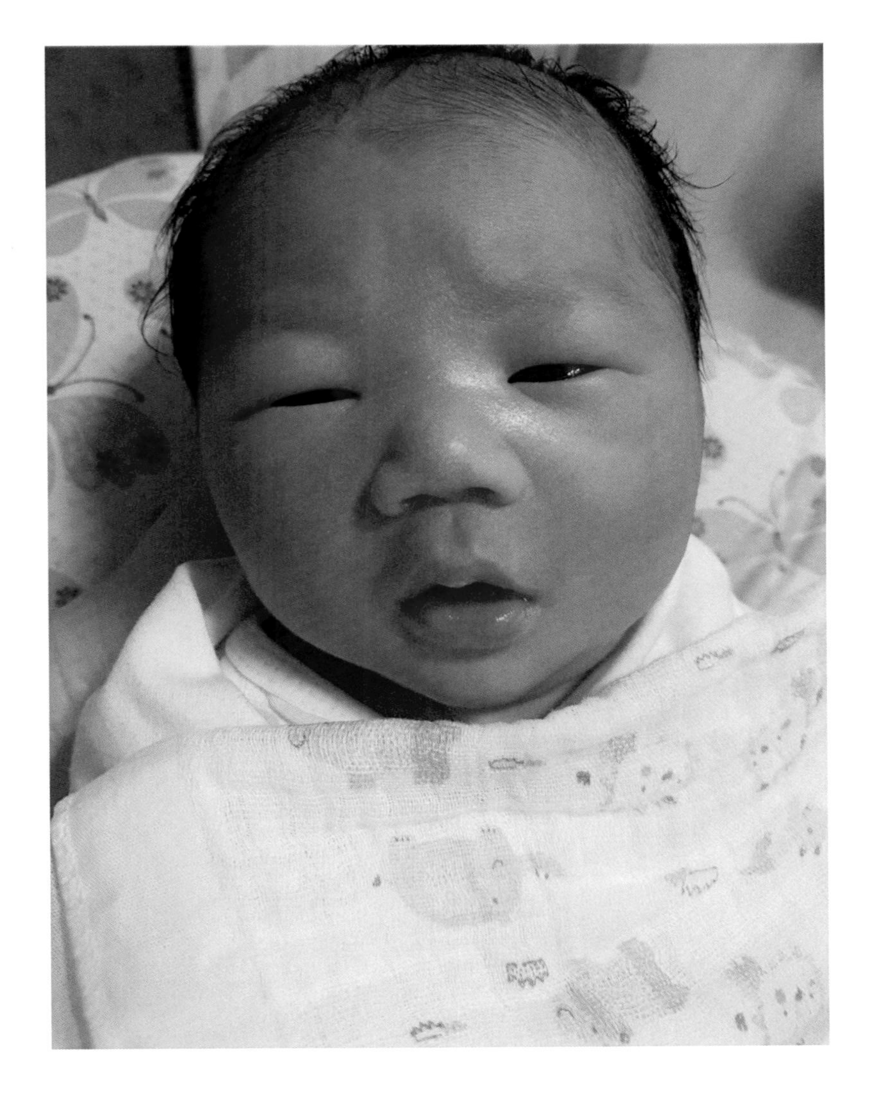

과일을 좋아하지 않던 내가 딸기와 청포도, 그리고 삼겹살 구이가 당겼다.

뱃속 젤리 곰 핑계로 너무 먹어서였을까?

임신성 당뇨 진단받았다.

식습관 개선과 걷기 운동 그리고 인슐린 주사를 시간마다 찔러 넣었다. 주사 쳐다도 못 보던 거 이때 고쳐진 거 같다.

잘 먹고 잘 쉬면 건강하게 아이 만나는 줄 알았는데 신경 쓸 게 왜 이렇게 많은지 그냥 얼른 나와라 싶었는데 말이 씨가 되었나?

아이가 너무 커져서 수술이 진행되었고 37주 3일 만에 다복이를 만나게 되었다. 회복실로 돌아와 마취에서 깨기도 전에 나는 "다복이는 괜찮아? 다복이 밥 먹어야 하는데..."라고 했단다.

얼굴 한번 제대로 본 적 없는데 그래도 뱃속에 담아 다니며 정이 들었나. 정신이 조금 돌아오니 간호사 선생님들이 팔뚝만 한 아이 하나 옆에 뉘어주셨는데 다복이란다.

2018년 7월 6일 3.76kg

뜨거운 여름, 화끈하게 하랑이를 만났다.

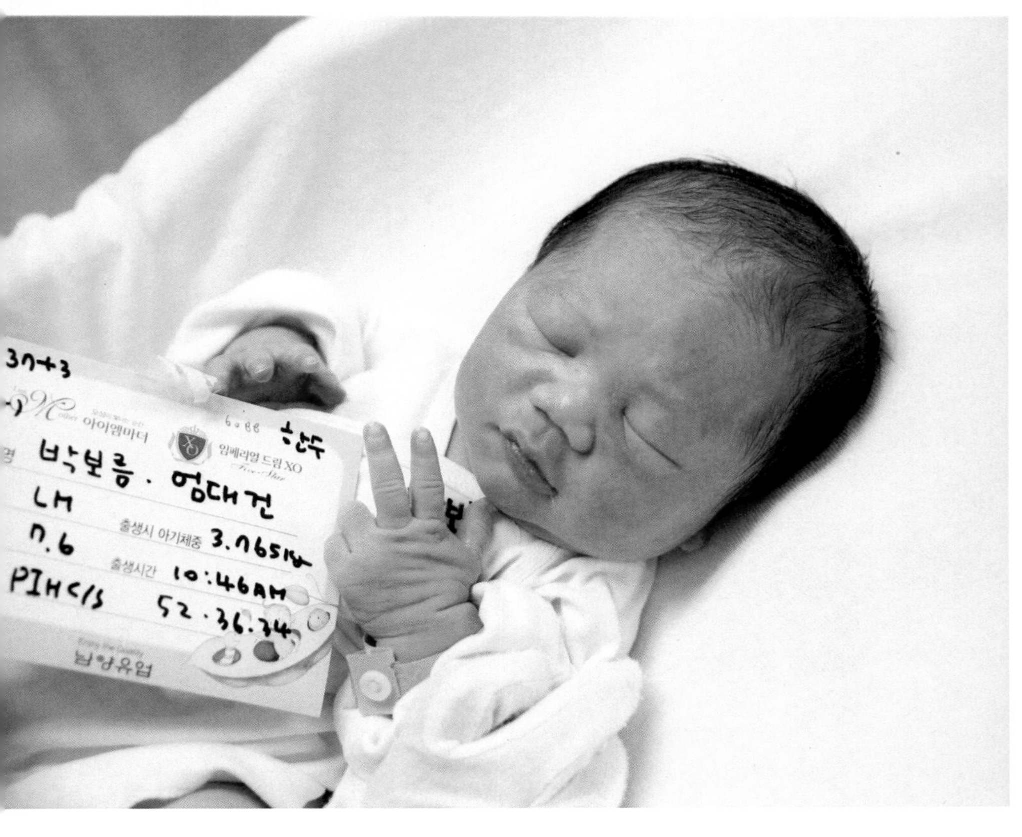

"안녕 다복아 어서 와 내가 엄마래. 잘 부탁해"

랑카소의 시작

하랑이 100일 무렵, 우리 가족은 서귀포로 내려왔다.

말이 통하지 않는 아이랑 단둘이 하루 종일 함께 한다는 건 생각보다 많이 답답하고 외로웠던 나는 하랑이에게 새로운 경험을 시켜주겠다며 집 근처 문화센터에 가서 오감 놀이와 미술 수업에 출석 도장을 찍게 되었다. 첫 수업부터 하랑이는 거침없이 탐색하고, 색을 섞어 가며 창의적으로 놀이를 즐긴다는 칭찬을 받았다.

처음에는 그저 새로운 경험을 주고자 했지만, '하랑이가 예술적인 재능이 있는 건 아닐까?'라며 벌써 아이의 알록달록한 앞날이 기대되었다. 반짝이는 눈의 하랑이와 함께한 시간은 나에게도 큰 기쁨이었다.

엄마표 놀이

하랑이도 나도 즐거웠던 문화센터를 코로나로 인해 더 이상 가지 못하게 되었을 때다.

예술적인 세계를 탐험하는 빛나는 눈의 하랑이의 모습을 보지 못하게 되었다는 생각에 아쉬웠던 나는 집에서 엄마표 미술 놀이를 시작하게 되었다.

아이랑 제대로 놀아본 적도, 손재주도, 미적 감각도 없는 엄마였지만 그동안 문화센터를 다니며 보고 들은 것과 유튜브에서 '엄마표 집콕놀이''엄마표 미술 놀이'등을 검색하며 하랑이 낮잠 시간에 준비했다.

하랑이는 엄마의 노력을 알아주듯 전지도 모자라 몸에도 얼굴에도 물감 범벅을 하며 한참을 집중하며 부지런히 놀았다.

피곤했지만 그 모습을 보니 엄마표를 포기할 수 없었고 놀이를 통해 하랑이와 더욱 가까워진 것 같아 즐겁고 행복했다.

새로운 맛의 발견

돌이 갓 지난 하랑이는 아기용 심심한 과자와 과일만 먹어보던 아이였다.

하지만 어느 날, 이모인 소현이가 하랑이에게 초콜릿과 구슬 아이스크림이라는 새로운 맛을 선물해 주었다.

하랑이는 호기심 가득한 눈으로 이모의 손길을 따라 초콜릿과 구슬 아이스크림도 맛보더니 '세상에 이런 맛이?!!'라는 듯 눈이 동글해져서 침을 흘리며 맛있게 먹었고 달콤한 초콜릿과 구슬 아이스크림의 맛에 하랑이는 완전히 빠져버렸다. 소현 이모는 하랑이의 행복한 모습을 보며 뿌듯해했다.

하랑이의 달콤한 신세계는 이모의 사랑과 함께 시작되었고 마트에 갈 때마다 초콜릿과 구슬 아이스크림을 집어 들기 시작했다.

NIKE

첫걸음

하랑이가 돌이 지났지만 걷지 않았을 때, 나는 그저 겁이 많아서 그런 줄 알았다. 잡고 일어서는 건 진즉부터 했던 아이니까. 하지만 14개월쯤에도 걷지 않자, 주변에서는 걱정스럽다며 눈과 입들이 쉬지 않고 부모인 우리에게 상처를 내고 조급하게 했다.

'처음에는 누구나 힘들지 뭐 이런걸로 유난들이람?' 싶으면서도 걱정스러운 마음이 들어 소아청소년과 갈 때마다 물었다. "아직 걷지 못해요. 어디 문제가 있는 걸까요?"라는 나의 질문에 웃으며 아직 어리니 좀 더 지켜보라던 의사 선생님. 의사의 답에도 불안한 마음에 잠겨간 나는 "이 한발 떼는 게 뭐가 그렇게 어려워 저런 말을 듣고 있니"라며 아이 발을 붙잡고 밀고 당기기까지 했다.

결국 한 발짝도 떼지 못하고 하랑이는 15개월이 되었고 어김없이 좋은 날씨에 운동장으로 산책을 하러 나갔다. 유모차에서 내려 한참을 기어다니던 하랑이가 스스로 일어섰다. "어?! 그렇지 하랑아! 엄마한테 와봐!" 알아 들은 건지 기뻐하는 엄마 표정이 좋았던 건지 아장아장 걸어 나에게 왔다.

무려 세 걸음이나 걸었다! 그날 이후로 수시로 걷고 넘어지길 반복했고 걷기 시작한 지 한 달 뒤 우다다다 뛰어다니는 게 뭐야 날아다니게 된 우리 하랑이.

"거봐!!! 우리 하랑이 시간이 필요했던 거라고!"

혼자만의 시간

나는 두 돌이 넘은 하랑이를 어린이집에 보내지 않고 가정 보육을 고집했다. '기저귀만 떼면, 말 좀 하면'이라며 미루던 나는 "맨날 엄마랑만 있으니, 애가 여태껏 말을 못 하는 거야. 또래 아이들 보면서 애들도 배우는 것도 있으니, 어린이집을 좀 보내라"라는 말에 크게 흔들렸다.

결국 20년 12월, 하랑이를 어린이집에 보내기로 결정했다. 기저귀도 말 한마디도 못 하던 채로. 이유식도 못 뗀 9개월 하린이도 함께.

아이들이 첫 어린이집에 입소하는 날, 나는 복잡한 감정을 느꼈다. 아이들이 새로운 환경에서 잘 적응할 수 있을지 걱정도 되었고, 다른 한편으로는 혼자 있는 시간에 대한 기대감이었다.

그러나 등원 후 혼자 집에 돌아오니 생각지도 못했던 허무함을 느꼈다. '내가 애들에게 많이 의지하고 있었구나.'

이날 나는 육아와 자아의 균형을 찾는 것이 얼마나 중요한지 깨달았다. 그래서 나는 오름 정복이라는 새로운 취미 생활을 시작했다. 혼자 있는 시간을 활용하여 오름을 오르며, 체력을 기르고 스트레스를 해소했다. 오름에 머무는 동안 나는 나 자신과의 대화를 나누며, 나의 가치와 목표를 다시 한번 되새겼다.

언어 지연

한가로운 오후, 어린이집에서 온 전화 한 통이 우리의 일상을 뒤바꿔 놓았다. 하랑이가 다른 아이들에 비해 언어 발달이 더디고, 사회성에도 문제가 있다는 것이었다. 부모로서 우리는 당황스럽고 놀랐지만, 아이의 발달을 돕기 위해 노력해야 한다는 생각에 바로 추천받은 언어치료센터에 등록했다.

언어발달 검사 결과 수용 언어 2개월, 표현 언어 10개월. 총 언어 발달 연령은 6개월.

언어 지연이 맞고, 자폐 성향도 보인단다.

처음에는 언어치료라는 것이 낯설고 어려웠다. 하지만 언어치료 선생님께서는 하랑이에게 다양한 언어 자극을 주며 아이의 성격과 성향에 따라 치료 방법도 달라져야 한다는 것을 가르쳐 주셨다. 또한, 아이의 발달을 돕기 위해서는 부모의 역할이 매우 중요하다며 우리가 집에서 할 수 있는 활동들도 쉽게 알려주셨다.

그렇게 30개월부터 하랑이의 치료센터가 시작되었다.

치료실 이야기

하랑이는 남자 선생님과 언어치료 수업을 경험한 적이 있다. 문화센터 체육 선생님 이후로 처음이었기 때문에 남자 어른과의 상호작용을 잘할 수 있을까 걱정이 되었지만, 선생님의 나긋나긋한 말투와 10년이 넘는다는 장애아 교육 경력에 나는 기대감이 부풀었다.

처음에는 큰 거부감 없이 선생님 손잡고 교실로 우다다 들어갔던 하랑이. '조용한 거 보니 잘 지내나 보네'라고 생각한 지 얼마나 지났을까, 하랑이가 자지러지게 울기 시작했고 결국 수업이 끝날 때까지 울음을 그치지 못했다. 창문 너머로 빼꼼 쳐다보니 흥분해서 얼굴이 새빨개져 울고불고 방방 뛰는 하랑이가 보였다. '저렇게까지 울 일이 뭐가 있나?' 싶어 난 결국 교실 문을 열었다.

"선생님 하랑이가 많이 힘들어 보여요. 오늘은 여기까지만 하시는 거 어떨까요?"

"어머님이 이렇게 운다고 받아주시니 하랑이 고집이 갈수록 세지는 겁니다."

?

내가 뭘?

하랑이에겐 낯선 곳이었기에 수업 중에 한 번씩 문 앞에 앉아 있는 나를 보러 나왔었는데 선생님이 지금은 수업 시간이라며 나가지 못하게 하니 애가 울기 시작했고 받아주지 않으니 토하는 시늉을 하며 방방 뛰는걸 아이를 안전을 위해 몸을 잡으면서 고집 싸움이라는 게 시작된 거라 하시며 한번 꺾을 필요가 있다고 하셨다.

선생님이 그렇다고 하니 속이 상해도 어쩔 거야. 다 너를 위한 거라는데... 그 뒤로 치료실 근처만 와도 자지러지는 하랑이를 난 또 질질 끌어다 교실에 집어넣었다. 40분 내내 악을 쓰며 우는 아이의 소리를 들으며 나는 문 앞에서 이러지도 저러지도 못한 채 빨리 시간이 지나가기만을 기다렸다.

그 후 하랑이는 나와 분리되는 것에도 많이 힘들어했을 뿐아니라 한동안 남자 어른과의 상호작용에 어려움을 보였다.

이 모습을 보며 나는 아무리 실력이 뛰어난 선생님과 좋다는 수업일지라도 내 아이와는 맞지 않을 수 있다는 것을 깨달았다.

달팽이 선생님

어린이집 등원조차도 힘들어진 하랑이.

그 모습을 며칠 지켜보시던 담임선생님께서는 하랑이의 어려움을 이해하시고 안정감을 찾는 게 먼저라며 엄마와 함께 등원하여 점심 식사 후 하원하는 시간을 가져보자 제안해 주셨다. 선생님께 민폐인 건 아닐까 너무 부담되시진 않을까 걱정했지만, 선생님께서는 그저 하랑이가 편안해지길 바라셨다.

그렇게 우린 함께 등원하기 시작했고 교실 안에서, 문 앞에서, 그리고 옆 교실에서 엄마와 조금씩 멀어지는 연습을 하는 동안 담임선생님께서는 하랑이가 좋아하는 공룡스티커와 피규어들, 다양한 놀이를 준비해주셨다. 그러던 어느 날 주말 동안 산에 다녀오시다가 달팽이를 보고 하랑이가 좋아할 것 같아서 잡아 오셨다는 것을 듣고 난 하랑이를 위해 노력해 주시는 선생님이 계신다는 것에 참 감사했다.

선생님의 특별한 노력 덕분에 하랑이는 두 달 정도 지나니 엄마 없이도 선생님과 친구들과 안정적으로 지낼 수 있게 되었다.

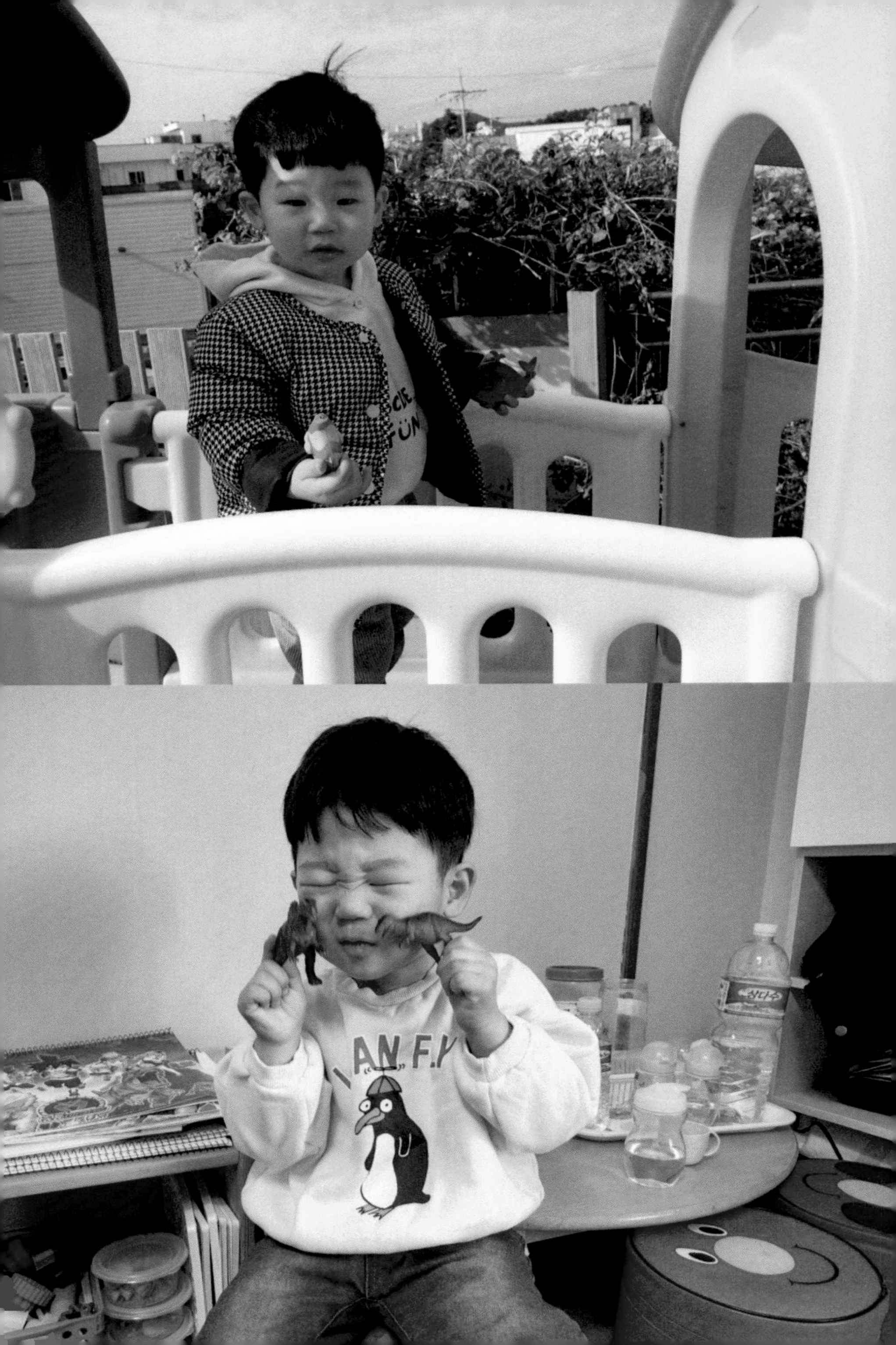

특별한 어린이집

하랑이가 다니고 있던 첫 어린이집은 4살 반까지만 운영되고 있어 5살을 보낼 새로운 어린이집을 찾아야 했다. 5살 반은 교사 대 아동 비율이 1:15인데 우리 하랑이가 어울릴 수는 있을까 혹시 소외되진 않을까 걱정하고 있었다. 더군다나 어린이집 평가 기간에는 등원하지 않았으면 하는 원장 선생님의 부탁 아닌 부탁까지 겪고 나니 나는 더 의기소침했다.

어느 날, 나는 장애 전담어린이집에 대한 소개가 담긴 광고지를 발견했다. 발달 지연을 가진 어린이들도 다니며 1:2 비율로 선생님이 돌봐준다는 것을 알게 된 나는 이곳이 하랑이에게 딱 맞는 곳일 것으로 생각하며 바로 입학 신청을 진행했다.

몇 달 후, 새 어린이집에 다닐 수 있다는 연락을 받았다. 달팽이 선생님과 나는 야외 활동이 풍부하고 선생님들이 많다는 점에서 하랑이의 에너지 넘치는 성격에 잘 맞을 것이라고 기뻐했다.

하랑이는 새 어린이집에 등원한 지 한 달이 지나면서부터는 울지 않고 적응이 완벽히 끝난 상태로 씩씩하게 지내게 되었다. 새로운 환경에서 잘 적응하는 모습을 보며 다시 한번 기뻐했다.

그렇게 인연을 맺은 어린이집에서 하랑이는 더욱 안정감 있고 밝아진 모습으로 많은 것을 배우고 성장하며 지내는 중이다.

검사

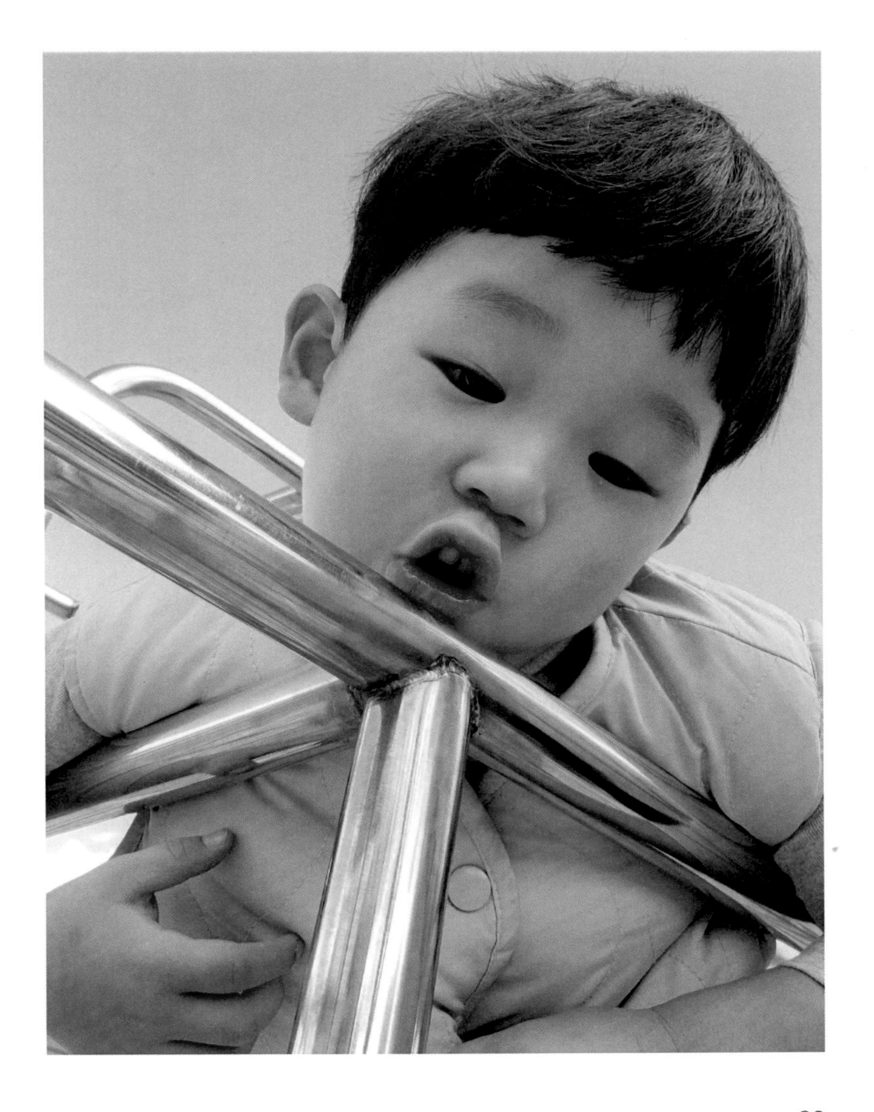

전담 어린이집으로의 등원을 위해 발달 지연 진단서를 발급받으러 정신건강의학과를 방문했다.

왜인지 모를 긴장감과 불안감이 가득했지만, 에너자이저 같은 하랑이와 대기실에서 조용히 앉아 있기는 아이도 나도 힘들었기에 차라리 함께 건물 계단을 오르내렸고 그 와중에 하랑이의 활기찬 모습을 보며 조금씩 긴장을 풀어갔다.

진료실에 들어가서 전담 어린이집에 가려는 이유와 하랑이에 관한 질문에 대답하는 중에 의사 선생님께서는 하랑이의 행동을 지켜보셨고 자폐스펙트럼의 특징들을 많이 가지고 있다고 말씀하셨다.

놀랐지만 의심은 하고 있었기에 이왕 온 김에 속 시원하게 검사를 받아보기로 했다. 검사실에서는 하랑이가 문밖으로 나가려고 하고, 조명을 껐다가 켜고, 검사 선생님께서 보여주시는 책에서 골라내기는커녕 다 집어 던져버리는 통에 검사 진행이 어려웠지만 검사 선생님께서는 하랑이의 행동에 대해 차분하게 대처하며 검사를 진행하셨다.

검사가 끝난 후, 의사 선생님께서는 하랑이의 결과를 2주 후에 들으러 오라고 말씀하셨다.

진단

유난히 길었던 2주 후, 결과를 듣기 위해 다시 방문한 병원에서 우리는 충격적인 소식을 들었다. 하랑이는 자폐스펙트럼 장애가 맞단다. 의사 선생님은 수술로 해결할 수 있는 것도 아니고, 약물의 도움도 한계가 있다며 꾸준한 재활치료를 통해 도움을 받을 수 있다고 하셨다.

이 소식을 듣고 돌아오는 길은 혼란스러웠지만, 진단을 통해 하랑이의 행동을 이해하고 어떻게 도와줄 수 있는지에 대한 힌트를 얻을 수 있어 개운하기도 했다. 병원과 주민센터에서는 장애 등록을 위한 서류와 지원 프로그램에 대한 정보를 친절하게 안내해 주셨다.

의사 선생님의 조언에 따라 우리 가족은 하랑이의 장애를 비교적 빨리 받아들였고 하랑이의 미래를 위해 함께 노력해 보자며 다독였다.

외삼촌

병원에서 나와 집으로 오는 길에 나는 다운증후군을 가지고 있는 외삼촌이 많이 생각났다.

매주 병문안 가던 우리 엄마는 치매로 알아보지 못하시면서 요양병원에 들어오면서부터 한번을 못 만난 외삼촌의 안부를 걱정하며 끊임없이 물었다.

"덕일이는 어디 갔냐?"

"덕일이 밥은 먹고 다니냐?"

"덕일이는 어찌고 사냐?"

잠깐씩 정신이 돌아온 순간에도 할머니는 외삼촌을 걱정하며 눈물을 흘리셨다.

어느 날, 엄마는 외삼촌을 데리고 할머니를 찾았고 병실에 들어서는 우리를 멍하니 바라보던 할머니는 외삼촌을 보고는 "아이고 우리 덕일이 왔네!"라고 말하며 두 사람은 서로를 껴안고 한참을 우셨다.

그렇게 인사를 한참 나누고 배고프다며 고기 먹으러 가자는 쿨한 외삼촌의 손을 잡고 병원을 나섰는데 엄마가 그 모습을 가만히 보다가 "보름아, 삼촌 창피하지 않아?"

라고 물어보셨다.

그 시절에는 매주 찾아오는 우리 엄마보다 외삼촌만 찾는 외할머니

가 서운했고, 저런 질문을 하는 엄마가 이해되지 않았는데 진단받던 날
난 그 마음들을 조금은 알 수 있었던 것 같다.

하랑이 동생 하린이

하랑이에겐 2살 터울의 비장애 여동생 하린이가 있다. 오빠에게 관심 많은 동생이자 잔소리꾼이다. 어느 날, 하랑이와 하린이가 식충식물 송에 빠져서 노래만 나오면 함께 춤을 추며 웃는 모습을 보여 좋았던 나는 실제 파리지옥, 네펜데스를 볼 수 있다는 여미지식물원을 찾았다.

매표소를 지나자마자 있던 분수와 내부에 있는 물길에 물을 좋아하는 하랑이는 바로 달려갔다. 그럴 때마다 하린이는 벤치에 앉아 물속을 들여다보고 있는 하랑이를 기다려주었다. 고맙고 짠한 마음에 사진찍기 좋아하는 하린이에게 "사진 찍어줄까?" 묻는 말이 끝나기 무섭게 포즈를 취하던 하린이가 갑자기 "오빠 안돼" 라며 하랑이에게 뛰기 시작했다. 하랑이가 물속을 더 자세히 보고 싶었던 나머지 얼굴을 더 가까이 밀어 넣고 쳐다보던 모습에 하랑이가 빠지는 줄 알고 놀랐던 것이다.

그 모습이 괜히 아려서 "하린아 오빠 안들어갈거야. 혹시 들어가도 오빠 수영잘하고 엄마 가방에 오빠 옷 많이 가지고 왔어. 괜찮아."라며 달랬다. 한참을, 물속을 들여다보던 하랑이가 드디어 만족스럽게 관찰이 끝내고 드디어 우리가 여기에 온 이유였던 파리지옥과 네펜데스를 보러 갔다. 실제로 보고는 신난 하랑이와 하린이는 그 앞에서 파

리지옥 송을 부르며 춤을 추었다. '사람이 많지 않아 다행이다'

돌아 나오는 길에 하랑이는 다시 물가를 향해 달렸고 한번 놀랐던 하린이는 이번엔 조그마한 손으로 하랑이를 잡아당기고 앞을 가로막았다. 하지만 하랑이를 막아내지 못한 하린이는 물가에 서 있는 하랑이의 바지를 붙들고 있었다.

그 모습에 물가에 가면 하랑이 뒤에서 뒷덜미를 움켜잡고 기다리던 내 모습 겹쳐 보였고 기껏 놀러 나와서 즐기지 못하고 오빠만 지켜보고 있는 하린이 모습에 울컥해 "하린아! 오빠 좀 냅둬!!" 라고 화를 내버렸다.

하린이는 속상했는지 "오빠 물에 들어가면 어떡해"라며 결국 눈물을 보였다.

"오빠는 엄마가 볼 테니까 너는 꽃보고 선인장보고 놀아 좀!"이라는 억지를 부렸다. 그냥 고맙다고 하면 될 것을...

그 와중에도 물만 바라보고 있던 하랑이...

FILA

외동데이

가끔 뜬금없이 "왜 엄마는 오빠만 좋아해?" "나 사랑해?"라며 맑은 눈으로 물어보는 하린이.

'내가 혹시 내가 하린이를 외롭게 하고 있었나?' '오빠에게 사랑이 쏠렸다고 느끼는 건 아닐까?' 아차 싶은 마음에 치료실 수업이 없는 날은 어린이집 땡땡이를 치고 외동 데이를 가진다. 하다못해 조금 일찍 하원해서 몇 시간만이라도 하린이만을 위한 시간을 가지려 노력하고 있다.

하린이는 그 짧은 몇 시간도 온전히 엄마와 함께하는 게 좋았는지 내내 엄마한테 어리광 부리며 안겨 다니기도 하고 유채꽃 냄새를 맡아보며 "똥냄새!", 매화꽃을 보고는 "팝콘 나무" 라고, 말하는 등 생각지도 못했던 상상력으로 나를 웃게 만들어 주고는 "엄마 사랑해요"라며 결국 나를 녹인다.

하랑이가 나에게 온전히 사랑하는 것을 가르쳐주러 온 아이라면 하린이는 사랑을 나누는 것을 가르치러 온 아이가 아닐까 싶다.

멘토

아무리 긍정적인 나라고 해도 내 아이의 장애를 처음부터 온전히 수용하고 인정하는 것은 쉽지 않았다. 체력적으로나, 심적으로 힘들었던 적이 있었고 숨어지내기도 했다.

나를 가장 힘들게 한 건 불쌍하게 보는 남들의 시선들과 아이의 장애로 인해 피해를 주진 않을까 자꾸 움츠러드는 나였다.

하지만 우리와 같은 어려움을 겪는 부모들이 모여 공동육아도 하고, 정보공유도 하는 '서귀포 특수아이 부모 모임'이 있다는 것을 알게 되었고 여기라면 하랑 하린이도 그리고 나도 마음 편히 어울려볼 수 있지 않을까 싶어 결국 공동육아 날에 참석하게 되었다.

정 힘들면 그냥 먼저 집 오자라는 생각을 가지고.

아니나 다를까 오랜만에 날 좋은 날 사람 많은 곳에 나오니 우리 하랑이 방방 뛰어다니고 난 또 그 뒤를 하린이가 탄 유모차를 끌고 쫓아다니기에 바빴다.

집에 가고 싶단 생각이 들 때쯤 다가와서 하린이 유모차 밀어주며 가서 하랑이 보라던 언니들.

그렇게 하랑이 뒤따라 달려간 족욕장에서 이미 물놀이하고 있던 하랑이와 친구들.

비록 함께 어울려 노는 모습은 아니었지만, 같이 물에 들어가서 자기대로 놀며 즐거워하던 모습과 조금 있다 하린이가 탄 유모차를 밀고 와준 언니들의 모습에 아이를 키우며 처음으로 외롭지 않았다.

포기하지 않고 끊임없이 도전하게 하는 영미 언니.

직접 쓴 책을 선물하며, 너무 오래 힘들고 긴 터널을 걷지 말라고 위로해 주던 주리 언니.

아이들의 편식으로 고민하던 나에게 황금 레시피와 아이들의 기본 생활 습관을 잡아주는 것이 가장 중요하다 알려주던 경희 언니.

울고 있을 때마다 다가와서 공감하고 함께 눈물을 흘려주던 현정 언니와 정은 언니.

만나면 웃느라 정신이 없을 정도로 즐거운 명이 언니.

외유내강의 인간화, 현미 언니.

든든한 언니들이 길잡이가 되어준 덕분에 아파하며 헤매는 대신 아이와 함께 세상을 살아가는 연습과 고민을 하며 성장하고 있습니다. 감사합니다.

미안해

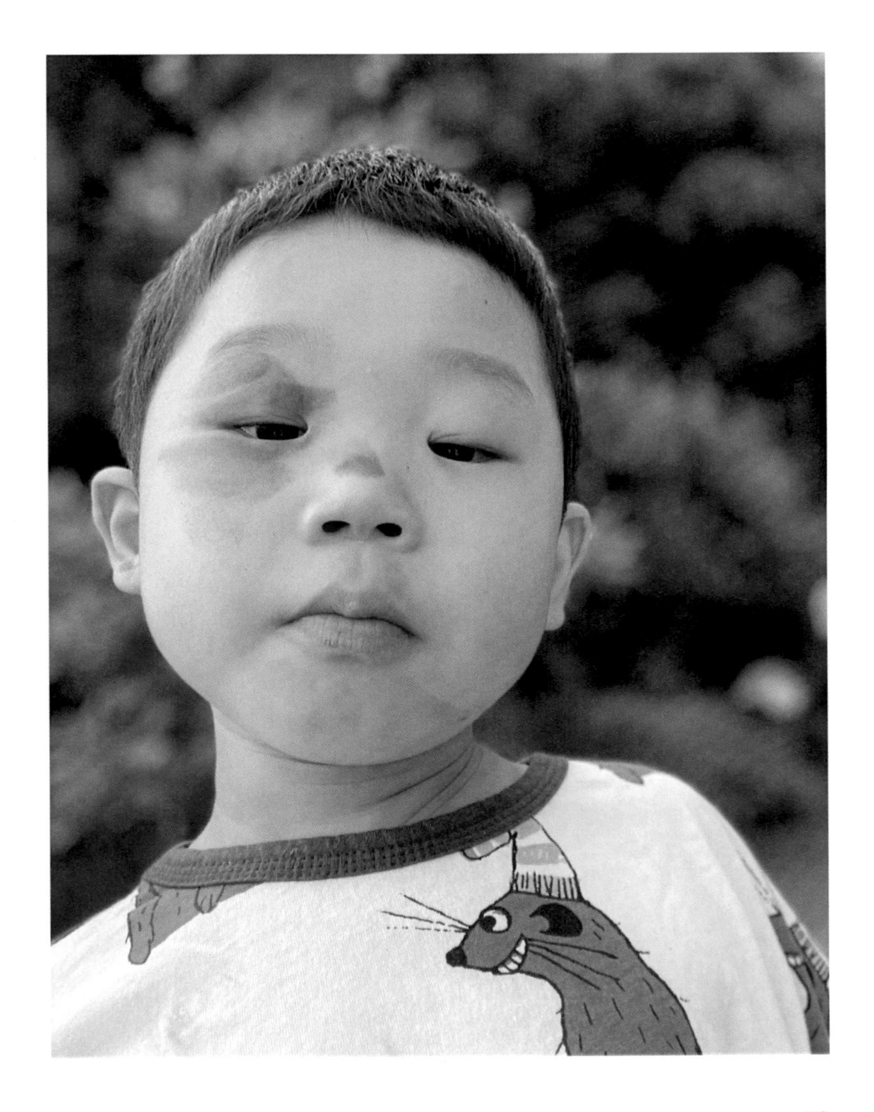

6살이 된 하랑이가 친구들과 선생님들을 물고 꼬집으며 공격성을 유난히 보였다.

아무리 말해도, 아무리 혼내도 반복되는 행동에 병원에서 약물 권유를 받았고 다음 진료 때까지 더 고민해보겠다며 돌아 나왔다. 아직 어린 나이기에 약물의 도움보단 스스로 참아보는 연습이 우선이라고 생각했던 나는 어린이집에 도움을 요청하였고 원장선생님께서는 5살부터 재원 중인 하랑이의 개별화 교육계획서와 어린이집 생활 기록을 살펴보니 얻고자 할 때, 회피할 때 공격성이 나타났었다며 그에 따른 긍정적 행동 지원 매뉴얼이라고 적힌 종이 한 장을 건네셨다.

"하랑이가 말하는 게 서툴다 보니 효과가 빠른 공격행동으로 표현하는 듯 해요. 당하는 아이도 다치면 안 되지만 하랑이도 억울하면 안 돼요. 몰라서 그러는 건데 이유도 모른 채 혼나기만 하니 얼마나 답답하겠어요."

이 한마디에 망치로 맞은 것 같은 충격을 받았다. 그날 나는 원장 선생님 앞에서 얼마나 울었는지 모른다. 언어와 인지가 많이 올라왔다고 한들 겨우 두 돌 수준이었다. 몸만 커진 내 아이가 '왜 그랬을까'라며 이유를 찾기보단 친구들과 선생님께 미안함이 앞서있어 매도 들어보고, "또 그러기만 해, 이를 다 뽑아버리겠다." 협박하고 혼내기만 했는데....

우리 하랑이 그동안 얼마나 답답했을까 싶고 미리 알아주지 못한 것에 대한 후회와 반성, 미안함의 눈물이었다.

하랑이도 억울하지 않고, 친구들도 선생님도 다치지 않으려면 잘 가르쳐보리라 마음 굳게 먹고 집에 돌아와서 긍정적 행동 지원 매뉴얼을 잘 보이는 곳에 붙여두고 '배워야 한다 하랑아. 그냥 외워라 하랑아.' 라는 마음으로 알려주었다. 그렇게 6개월쯤 지나니 공격이 아닌 "내 거야" "싫어" 등의 자기가 할 수 있는 짧은 말들로 표현하는 모습과 순간 욱하는 마음에 입이 다가오고 손톱을 세우기도 했지만 결국 참아내는 아이의 모습을 보면서 '됐다 됐어 성공이야!'라며 얼마나 기뻐했고 함께 애써주신 선생님들께 감사했는지 모른다.

감사하게도 여전히 하랑이가 힘들고 어려워하는 점을 많은 선생님들께서 고민하고 지원해 주시며 함께 키워주고 계신다. 이 시기에 아이 한 명을 키우는 데 온마을이 필요하다는 아프리카 속담을 마음 깊이 이해하게 되었고 아이의 입장에서 한 번 더 생각해 보게 된 값진 시간이었다.

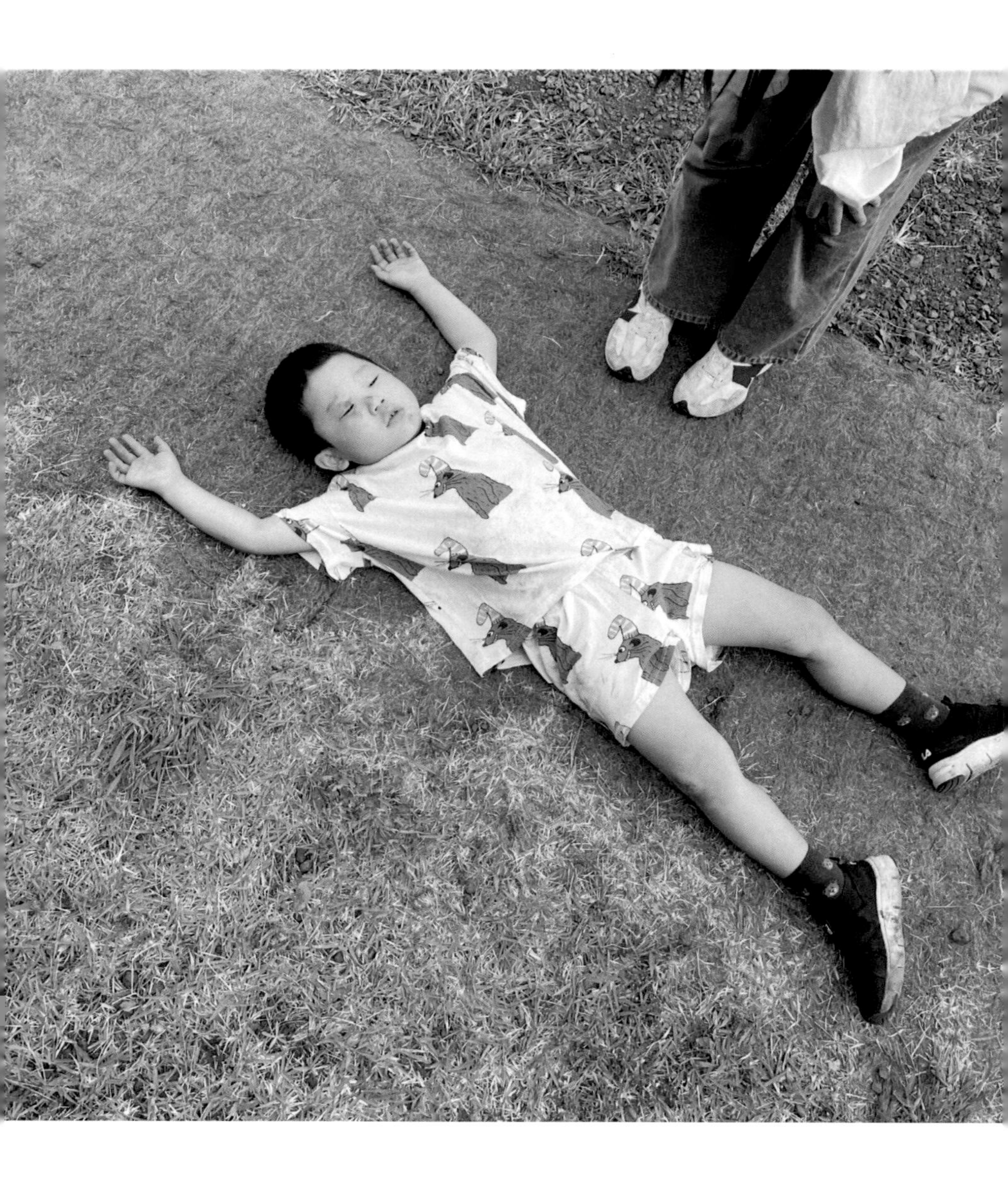

엄마들의 우정

습기 가득했던 6월 어느 날 하랑이가 또 친구를 물었다는 연락을 받았고 난 우울한 감정에 휩싸여 혼자만의 시간을 갖고자 서귀포 치유의 숲을 찾았다.

"혼자 청승 떨지 말고 같이 가자! 입구에서 딱 기다려!"라는 언니들의 말에 감동한 나는 매표소 앞에 쭈그려 앉아 언니들이 들어올 입구를 바라보며 기다렸다. 멀리서 언니들이 벌써 지친 모습으로 올라오는 모습이 보였고 괜히 울컥한 나는 언니들에게 먼저 아는 척하지 못한 채 고개 숙여 핸드폰을 보는 척했다.

갑자기 언니들이 깔깔대며 웃는 소리가 들려 몰랐던 척 고개를 들어보니 "오렌지족이냐?" "인간 귤이네"라며 주황색 땀복을 입은 나를 보며 뒤집어지게 웃고 있었고 그 모습을 보며 혼자 앉아 방금까지 세상 우울해하던 내가 걱정을 잊고 없는 사람처럼 따라 웃게 되었다.

그날의 우린 거미줄에 걸린 이슬과 큰 나무들 사이의 안개, 그리고 분위기 있는 물가와 약수터에서 한참을 떠들고 웃었고 은진언니가 늘 말하는 "미치지 않고 하루하루 정신 줄 단단히 틀어잡고 사는 우리 대단하다"란 웃기고도 슬픈 말에 위로받았다.

우리 찐 쏭 언니들 덕분에 외롭지 않게 또 즐겁게 육아합니다. 고마워요.

상어 보디가드

우리 하랑이는 상어 이름을 줄줄 외우고 있는 상어 박사다. 나와 마주 보고 상어 이름 주고 받는 걸 굉장히 즐거워하는 아이다 보니 상어와 공룡 이름들을 외울 수밖에. 하랑이 덕분에 상어와 공룡 종류가 그렇게나 많다는걸, 내 기억력이 꽤 좋다는 걸 알게 되었다.

하랑이는 그렇게 사랑하는 상어들을 항상 작은 가방에 넣어 들고 다닌다. 그 모습을 보신 한 선생님께서는 이것이 집착으로 이어질 수 있다고 말씀하셨고 나는 상어들을 숨기거나 하랑이에게 두고 가야 한다며 아침마다 싸우게 되었다. 그럴 때마다 하랑이는 세상 무너진 듯 크게 울며 힘들어했다.

고민 끝에 나는 선생님께 하랑이가 안정이 필요할 때 유난히 상어들을 챙기는 모습을 설명하며 등원 차에서만 상어들을 가지고 있고 교실 앞에서는 스스로 가방에 넣어두는 연습을 해보는 것이 좋을 것 같다고 제안했다. 선생님께서는 제안을 받아주셨고, 그날 이후 하랑이는 교실 앞에서 상어들을 가방에 넣어두고 스스로 조절하는 모습을 보여주었다. 그렇게 하랑이는 상어들을 들고 다니는 것이 더 이상 집착이 아니라, 하랑이의 듬직한 보디가드들이라는 것을 알게 했다.

여전히 하랑이는 상어 보디가드들과 함께 새로운 경험을 하고 있고 나는 하랑이의 상어 보디가드들을 통해, 하랑이의 마음을 더욱더 이해하고 존중하는 방법을 배울 수 있었다.

물속 모험

한 여름날, 어린이집에서 물놀이를 마치고 하원을 하던 중, 당시 담임이셨던 달팽이 선생님께서 하랑이에게 칭찬을 아끼지 않으셨다. "우리 하랑이 어쩜 그렇게 잠수를 잘해요? 4살에 이러기 힘든데!"라고 말씀하시는데 집 욕조에서도 늘 그렇게 놀아서 어떤 모습이었을지 머릿속에서 그려졌고 '다 그렇게 놀지 않아? 그냥 선생님이 하는 말씀이겠지' 하고 대수롭지 않게 넘어갔다.

6살이 된 하랑이는 여전히 물놀이를 좋아했다. 안전을 위해서라도 생존수영을 가르쳐보고 싶었지만, 나이가 어리다거나 장애 전문 선생님이 없다는 이유로 참여할 수가 없어 '내가 배워서 알려주는 게 빠르겠구나' 하던 중 장애인 부모회를 통해 수중 재활 수업이 있다는 걸 알게 된 우리는 바로 찾아갔다.

지도교수님께서는 하랑이가 물에서 노는 모습을 보시더니 수영보다는 잠수를 유난히 좋아하고 잘한다며 장난감을 물속에 떨어뜨리면 하랑이가 잠수해서 가지고 나오는 놀이와 서핑하듯 보드 위에서 10초 버티고 서있다가 풍덩 다이빙하는 방법으로 수업을 진행하셨다.

물속 하랑이 모습은 행복한 물개 그 자체였고, "진로 정해졌네!" 라는 말은 우리에게 큰 힘이 되었다.

우리 하랑이 좀 더 크면 좋아하는 상어와 고래가 가득한 바다에 함께 헤엄치러 나가야지.

앞으로가 더 기대되는 하랑이의 물속 모험.

자화상

크레파스와 스케치북 한 장을 새까만 색으로 칠한 밤하늘 그림과 빨주노초파남보 줄 세우며 무지개를 그리는 우리 랑카소의 예술은 계속되고 있다.

어느 날, 내가 설거지를 마치고 하랑이가 여태 가지고 놀던 스케치북을 들여다보던 나는 깜짝 놀랐다. 한 귀퉁이에 그려진 그림은 누가 봐도 사람 얼굴이었다.

"하린아!! 이거 하린이가 그린 거야??"

하린이는 단호하게 대답했다.

"아니 오빠가."

"아 하린이가 오빠 그려준 거야?"

"아니라니까!!! 오빠가 그렸어!!!"

정말? 하랑이가 드디어 인물화도 그릴 줄 알게 된 거야?

그렇게 찜찜하면서도 설레었던 날 며칠 후, 어린이집에서 하랑이가 클레이로 만든 작품이라며 사진 한 장을 보내주셨는데

!!!

얼마 전 스케치북 한 귀퉁이에 그려져 있던 그림과 얼굴도 콧구멍도 똑같은데?!! 정말 하랑이 작품이었구나!!!

난 볼수록 하랑이랑 닮은 그림에 〈자화상〉이라는 제목을 붙여주었

다.

부지런히 움직이는 작은 손으로, 앞으로는 어떤 작품들을 만들어낼까?

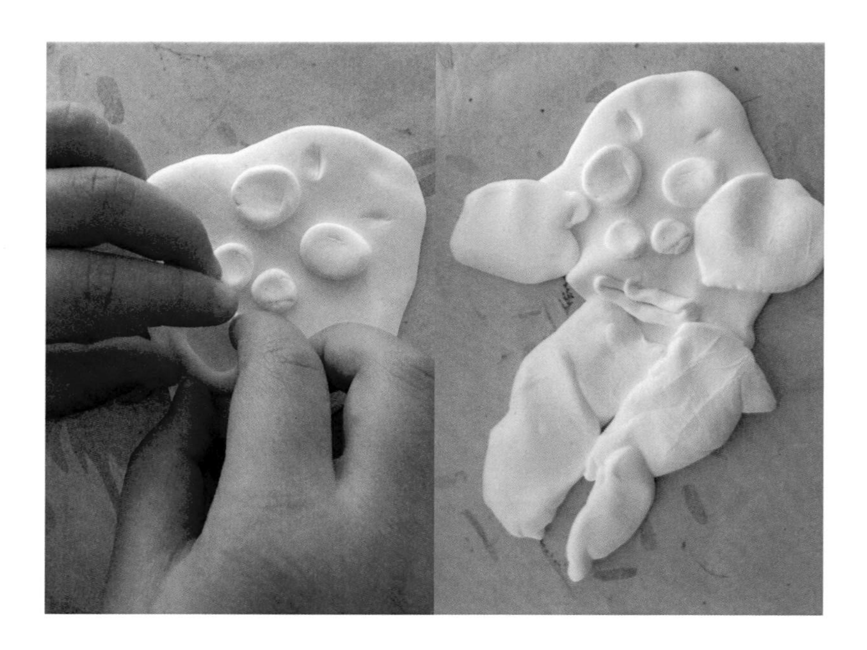

너의 모든 날을 응원해

하랑이로 인해 우리 가족은 많은 변화를 겪었지만, 나는 오히려 항상 감사하게 생각하고 있다. 하랑이 덕분에 나는 삶을 조금 더 열정적으로 살게 되었고, 세상을 바라보는 특별한 시선을 함께하며 '내가 아는 세상이 전부가 아니구나'라는 것을 배워가고 있기 때문이다.

나의 아들 하랑이는 곧 초등학교라는 새로운 세상에 발을 들여놓게 된다. 새로운 교실, 선생님, 친구들을 만나고 다양한 활동을 경험하며 그 속에서 하랑이의 강점을 찾고 잠재력을 실현할 수 있는 기회를 얻게 될 거라 믿는다.

하랑아, 늘 너의 새로운 모험을 응원할게! 네가 가는 길마다 행복과 성장이 함께하기를 바란다. 사랑해 엄하랑.

하나뿐인 너랑 발달장애를 가진 하랑이를 통해 인생의 희노애락을 배워가는 엄마의 이야기

발 행 | 2024년 07월 31일
저 자 | 박보름
사 진 | 박보름
표지사진 | 박보름
디자인 | 오은정
인권표현검수 | 이지민
바른우리말검수 | 이지민
후원 | 제주특별자치도, 제주문화예술재단
주관 | 서귀포 오아시스
미디어에디터 | 최인서
작품편집, 에이전트 | 박산솔, 이정숙, 이선경
펴낸이 | 한건희
펴낸곳 | 주식회사 부크크
출판사등록 | 2014.07.15.(제2014-16호)
주 소 | 서울 금천구 가산디지털1로 119, SK트윈타워 A동 305호
전 화 | 1670 – 8316
이메일 | info@bookk.co.kr

ISBN | 979-11-410-9865-0

www.bookk.co.kr

2024 엄마의 활주로 '함께육아에세이'의 취지에 맞게 작가의 감정 표현과
아이의 언어 표현을 지키는 방향으로 교정 교열 하였습니다.

본 책은 강원교육모두체, 학교안심(확장)바른돋움체,
플라워(폰트 저작권자 유토이미지 (UTOIMAGE.COM))체가 사용되었습니다.

본 책은 제주특별자치도와 제주문화예술재단의 후원을 받아 제작되었습니다.

Jeju JFAC 제주문화예술재단